MANCHOTS

Cet ouvrage est paru sous le titre original *Penguins*.
© 1997, John Love pour le texte,
publié par Colin Baxter Photography Ltd, Grantown-on-Spey,
Moray, PH26 3NA, Écosse, Grande-Bretagne.
© 2001, Nathan/HER, Paris, France, pour l'édition française.

Origine des photographies :

Première de couverture © Kevin Schafer (NHPA)
Dernière de couverture © Rod Planck (NHPA)
Page 1 © Johnny Johnson (Bruce Coleman Ltd)
Page 4 © Johnny Johnson (Bruce Coleman Ltd)
Page 6 © Kevin Schafer (NHPA)
Page 9 © Doug Allan (Oxford Scientific Films)
Page 10 © Mike Potts (Planet Earth Pictures)
Page 13 © Gerald Cubitt (Bruce Coleman Ltd)
Page 14 © Johnny Johnson (Bruce Coleman Ltd)
Page 16 © Johnny Johnson (Bruce Coleman Ltd)
Page 17 © Johnny Johnson (Bruce Coleman Ltd)
Page 18 © Tui De Roy (Oxford Scientific Films)
Page 19 © Johnny Johnson (Bruce Coleman Ltd)
Page 20 © Eckart Pott (Bruce Coleman Ltd)
Page 22 © Ben Osborne (Oxford Scientific Films)
Page 24 © Peter Gasson (Planet Earth Pictures)
Page 25 © P.V. Tearle (Planet Earth Pictures)
Page 26 © Tui De Roy (Oxford Scientific Films)
Page 27 © Richard Coomber (Planet Earth Pictures)
Page 28 © Brendan Ryan (Planet Earth Pictures)
Page 30 © Daniel J. Cox (Oxford Scientific Films)
Page 33 © Johnny Johnson (Bruce Coleman Ltd)
Page 34 © Jeff Foott (Bruce Coleman Ltd)

Page 35 © P.V. Tearle (Planet Earth Pictures)
Page 36 © Gunter Ziesler (Bruce Coleman Ltd)
Page 38 © Doug Allan (Oxford Scientific Films)
Page 41 © Allan G. Potts (Bruce Coleman Ltd)
Page 42 © Luiz Claudio Marigo (Bruce Coleman Ltd)
Page 44 © Mike Tracey (Oxford Scientific Films)
Page 45 © Johnny Johnson (Bruce Coleman Ltd)
Page 46 © Rinie Van Meurs (Bruce Coleman Ltd)
Page 47 © Kathie Atkinson (Oxford Scientific Films)
Page 49 © Frans Lanting (Minden Pictures)
Page 50 © Frances Furlong (Oxford Scientific Films)
Page 53 © Kevin Schafer (NHPA)
Page 54 © Kevin Schafer (NHPA)
Page 57 © Hans Reinhard (Bruce Coleman Ltd)
Page 58 © B. & C. Alexander (NHPA)
Page 60 © Eckart Pott (Bruce Coleman Ltd)
Page 62 © B. A. Janes (NHPA)
Page 63 © Gerald Cubitt (Bruce Coleman Ltd)
Page 64 © B. & C. Alexander (NHPA)
Page 67 © B. & C. Alexander (NHPA)
Page 68 © Frans Lanting (Minden Pictures)
Page 69 © Kevin Schafer (NHPA)
Page 70 © A N T (NHPA)

Traduction : Marc Duquet
Ouvrage réalisé avec la collaboration de Claire Duquet et de Carole Hardoüin
ISBN : 2.09.261084-8
N° d'éditeur : 10075852 – (I) – (6)
Dépôt légal : janvier 2001
Imprimé en Chine

MANCHOTS

John Love

Traduit par Marc Duquet

NATHAN

SOMMAIRE

Découverte

Tout le monde sait à quoi ressemble un manchot. Nous le reconnaissons immédiatement, car nous avons grandi avec l'image presque humaine qu'en donnent les contes pour enfants, les personnages de dessins animés et les publicités télévisées. Le manchot, souvent appelé par erreur « pingouin » (de l'anglais *penguin*), a également donné son nom à de nombreux produits commerciaux dans le monde entier, et même à une équipe de hockey sur glace, celle de Pittsburgh, aux États-Unis.

Cette confusion de termes provient sans doute du fait que le tout premier « pingouin » rencontré par des Européens n'était pas un manchot. Le premier écrit à son sujet nous vient en effet d'un navigateur nommé Pankhurst qui avait traversé l'Atlantique jusqu'à Terre-Neuve en 1578. Après un voyage long et difficile, il accosta pour renouveler les provisions. Il écrivit dans son journal : « *Il y a beaucoup d'autres moyens de s'approvisionner en oiseaux, surtout sur une île appelée Pingouin, où l'on peut les conduire de la terre jusqu'au navire à l'aide d'une planche, et en charger autant qu'il peut en contenir. Ces oiseaux sont également appelés pingouins et ne peuvent pas voler.* » Il ne s'agissait bien sûr pas des oiseaux que nous appelons aujourd'hui des manchots, qui vivent dans l'hémisphère Sud et que les Anglo-Saxons nomment toujours *penguins*, mais des grands pingouins, les véritables pingouins que l'on ne trouve que dans l'hémisphère Nord. Ils ressemblaient au pingouin torda, qui est apparenté aux guillemots et aux macareux et qui colonise toujours les falaises côtières d'Écosse et de Bretagne, mais en plus grand puisqu'il mesurait environ 1 mètre de haut. Les ornithologues lui donnèrent le nom scientifique de *Pinguinus* bien qu'aujourd'hui il soit inclus dans le genre *Alca*, comme le pingouin torda (ou petit pingouin). Son second nom, ou nom spécifique, *impennis* provient du fait qu'il ne volait pas. C'était une proie facile pour les pêcheurs affamés, et les derniers grands pingouins furent exterminés en 1844 au large de l'Islande…

L'origine du mot pingouin est obscure, mais pourrait provenir du latin *pinguis* ou de l'espagnol *pingüino*, mots qui font référence à la richesse en graisse de ces oiseaux. Il n'est donc pas surprenant que des marins s'aventurant dans l'hémisphère Sud et rencontrant de grands et gros oiseaux blanc et noir, incapables de voler – tout comme les grands pin-

Les manchots royaux se reproduisent en immenses colonies sur les îles subantarctiques.

gouins –, les appellent *penguins* aussi. Les autochtones devaient être familiers avec ces oiseaux depuis des milliers d'années, et quand Bartholomeu Diaz fut le premier à contourner le cap de Bonne-Espérance, à la pointe australe de l'Afrique, en 1488, il a dû rencontrer des manchots mais n'en a laissé aucun récit. C'est Vasco de Gama, onze ans plus tard, qui décrivit « *des oiseaux aussi grands que des canards, mais qui ne peuvent pas voler car ils n'ont pas de plumes sur les ailes. Ces oiseaux, que nous tuâmes autant que nous voulions, sont appelés* Sotylicayros *et ils braient comme des ânes* ». Apparemment, *sotilicario* était un nom portugais pour le grand pingouin, mais les oiseaux que Vasco de Gama rencontra étaient les diverses races d'une espèce maintenant connue sous le nom de manchot du Cap.

En 1519, Fernand de Magellan, en route pour l'Asie par la pointe australe de l'Amérique du Sud, fit étape dans deux îles près du cap Horn. Il nota la présence d'un grand nombre de gros « oisons » qui ne pouvaient voler et vivaient de poissons. Nous savons maintenant qu'il s'agissait de manchots (baptisés aujourd'hui de Magellan), voisins de ceux d'Afrique du Sud, et appartenant comme eux au genre *Spheniscus*.

Tandis que les bateaux de l'expédition menée par le navigateur portugais s'aventuraient plus loin au sud à la recherche de baleines et de phoques, ils rencontrèrent de nouvelles espèces de manchots – certaines sur les îles subantarctiques, complètement noir et blanc ou avec une curieuse touffe jaune sur la tête, des manchots pygmées en Australie et en Nouvelle-Zélande ou, les plus grands de tous, les fameux manchots royaux et manchots empereurs. Tous procurèrent des suppléments bienvenus aux rations des marins et plus tard furent exploités pour leur huile et les plumes ornant leur tête – mais heureusement, aucun ne connut le sort tragique du grand pingouin.

Les dessins animés représentent souvent des manchots en compagnie d'ours polaires, mais en réalité les deux espèces ne peuvent pas se rencontrer, parce que les manchots sont confinés à l'hémisphère Sud alors que les ours blancs vivent uniquement dans l'hémisphère Nord. On a aussi tendance à associer les manchots à la neige et à la glace, or deux espèces seulement, le manchot d'Adélie et le manchot empereur, vivent effectivement sur le continent antarctique. La plupart vivent dans les îles subantarctiques ou dans les archipels des mers australes, en Nouvelle-Zélande, en Amérique du Sud ou en Afrique du Sud. Une espèce, le manchot des Galapagos, habite même au niveau de l'équateur !

Les manchots papous ont une répartition circumpolaire, mais ne sont pas spécialement
nombreux sur chaque site. La végétation environnante est généralement détruite
dans les endroits où ils nichent chaque saison.

Diversité des manchots

Les Maoris de Nouvelle-Zélande ont une légende qui dit que Taroa l'albatros et Tawaki le manchot se querellaient sans cesse pour savoir qui était le meilleur pour voler et pêcher. Finalement, Tane Mahuta, le roi des forêts et des oiseaux, régla la question une fois pour toutes, en leur offrant à chacun un cadeau. Il offrit à Taroa la plus longue aile de tous les oiseaux de mer afin qu'il puisse voler dans les vents marins loin des terres à la recherche de nourriture. Il donna à Tawaki des ailes-nageoires, inutiles dans l'air mais parfaites pour nager sous les vagues de l'océan, où il pouvait attraper tout le poisson qu'il voulait.

La science moderne a confirmé les liens étroits existant entre les albatros et les manchots. En effet, les Procellariiformes et les Sphénisciformes partagent de nombreuses caractéristiques anatomiques, physiologiques et comportementales. Le minuscule poussin du manchot pygmée possède même les narines tubulaires si typiques des pétrels et des albatros. Des études biochimiques ont également confirmé cette parenté, et démontré en quoi les manchots sont très proches des petits puffinures plongeurs. Les fossiles les plus anciens proviennent de Nouvelle-Zélande et indiquent que les premiers manchots sont issus d'un ancêtre commun qui vivait il y a 60 millions d'années.

Il est quasiment certain que les manchots descendent d'un ancêtre volant, et de petite taille – probablement d'aspect proche des puffinures plongeurs ou des alcidés actuels de l'hémisphère Nord. Un oiseau qui doit voler, mais qui utilise aussi ses ailes pour nager sous l'eau, doit rester petit. Comme le grand pingouin en fut la preuve, perdre la faculté de voler permet aux oiseaux de devenir plus gros, limite la perte de chaleur de leur corps et les autorise également à vivre dans des eaux plus froides. De nombreux fossiles de manchots ont la taille approximative des manchots empereurs d'Antarctique, soit 1,20 m de haut, quoique le plus grand mesure 50 cm de plus et atteint presque l'épaule d'un homme. L'un de ces géants, disparu depuis longtemps, et justement nommé *Anthropornis* (l'homme-oiseau), fut trouvé en Antarctique, tandis qu'un autre appelé *Pachydyptes ponderosus*, et pesant probablement 80 kg, provient de Nouvelle-Zélande.

Comme tous les manchots, les gorfous sauteurs doivent venir à terre pour se reproduire et pour effectuer leur mue annuelle, et acquérir ainsi leur nouveau plumage.

L'on connaît a peu près 40 espèces de manchots fossiles, dont presque la moitié est issue de Nouvelle-Zélande. L'Amérique du Sud et l'Antarctique sont presque aussi riches, quelques rares autres ayant été trouvés en Australie et en Afrique du Sud. Bien sûr, cette distribution reflète fortement l'aire de répartition actuelle des Sphénisciformes. Il fut un temps où ces continents austraux formaient une seule immense étendue de terre appelée Gondwana. Quand l'Afrique et la Nouvelle-Zélande se séparèrent, il y a quelque 50 millions d'années, les manchots existaient déjà. À l'époque où l'Australie et l'Amérique du Sud se séparèrent de l'Antarctique, des manchots de toute forme et de toute taille étaient apparus, certains encore plus petits que l'actuel manchot pygmée. Un grand nombre de ces espèces archaïques avaient un long bec fin pour harponner les poissons ou les saisir aussi efficacement qu'avec des pinces. Cependant, il y a environ 20 millions d'années, les phoques, les baleines à dents et les dauphins apparurent et commencèrent à entrer en compétition avec les manchots pour la nourriture ou même à en faire directement leurs proies. Les Sphénisciformes qui ont survécu jusqu'à l'époque moderne ont tendance à être plus petits, avec un bec plus court et plus large pour se nourrir d'un assortiment de proies plus petites.

Le nombre d'espèces vivant encore actuellement peut varier parce que certains ornithologues différencient au moins deux espèces de manchots pygmées et que d'autres considèrent que le gorfou de Schlegel est la même espèce que le gorfou doré. Actuellement, le consensus se fait sur 17 espèces. Le manchot pygmée d'Australie et de Nouvelle-Zélande est considéré comme le plus primitif, et classé seul dans le genre *Eudyptula*. Il est vraiment le plus petit, avec à peine 1 kg et 40 cm de hauteur, et a un aspect bien ordinaire, gris-bleu dessus et blanc dessous. Le manchot antipode, également de Nouvelle-Zélande, est une des plus grandes espèces avec 80 cm et un poids de 8 kg ; il est le seul représentant du genre *Megadyptes*. Il a des liens de parenté évidents avec les six gorfous du genre *Eudyptes* (2-5 kg). Le gorfou de Fjordland, le gorfou des Snares et le gorfou huppé sont limités dans le sud-ouest de la Nouvelle-Zélande et à ses îles côtières, tandis que le gorfou de Schlegel est confiné sur l'île Macquarie, dans les eaux au sud de l'Australie. Son proche parent, le gorfou doré, qui a la face blanche, a une répartition plus vaste dans les eaux subantarctiques de l'Atlantique Sud.

Les quatre espèces du genre *Spheniscus* (2-5 kg) se trouvent autour de l'Amérique du Sud (manchots de Magellan, de Humboldt et des Galapagos) et au large de l'Afrique du

Les gorfous des Snares sont confinés à un groupe d'îles au sud
de la Nouvelle-Zélande, auxquelles ils doivent leur nom.
Ils sont très proches des gorfous de Fjordland.

Les manchots nagent grâce à leurs ailes rigides semblables à des pagaies et utilisent leurs pattes
et leurs ongles puissants pour se déplacer sur la glace ou les rochers.
Ici, des gorfous sauteurs regagnent leur colonie.

Sud (manchot du Cap), et semblent être proches du manchot pygmée. Les deux espèces les plus grandes et les plus colorées – le manchot royal (16 kg) et le manchot empereur (30 kg) – forment le genre *Aptenodytes* ; ils ont tous deux une répartition circumpolaire, le premier dans les eaux subantarctiques et le second en Antarctique même. Un trio plus varié, le manchot à jugulaire, le manchot d'Adélie et le manchot papou, pesant de 4 à 7 kg, forme le genre *Pygoscelis*. Le manchot d'Adélie et le manchot à jugulaire sont bien répandus dans les eaux polaires. Le manchot papou est moins abondant, mais s'étend davantage vers le nord, pour former deux sous-espèces distinctes ; celle qui niche près de l'Antarctique est plus petite, et possède un bec, des pattes et des nageoires plus longs – ce qui est en contradiction avec les principes biologiques qui veulent que les animaux polaires aient tendance à être plus grands avec de petits appendices.

Adaptations

En 1620, l'amiral de Beaulieu considéra que les manchots étaient des poissons à plumes ayant acquis une forme hydrodynamique, comme beaucoup de poissons, de phoques, de baleines et de dauphins, qui partagent leur environnement marin. Abandonnant le pouvoir de voler, les manchots n'avaient plus besoin d'un squelette léger et d'os creux. L'eau étant un milieu plus dense que l'air, les animaux qui s'y déplacent ont donc besoin d'os forts et vigoureux auxquels s'attachent des muscles puissants. Cela réduit leur flottabilité et nécessite moins d'énergie pour rester sous l'eau. Leur bras se compose d'os épais et plats soudés au niveau du poignet et du coude pour former une nageoire hautement efficace et parfaitement rigide. Quand un manchot nage sous l'eau, ses battements de nageoires ascendants ou descendants sont puissants et lui procurent une telle maniabilité qu'on prétend qu'il est capable de faire demi-tour sur une distance équivalant au quart de la longueur de son corps. Une technique de nage énergétiquement plus rentable, connue sous le nom de « marsouinage », peut être employée par le manchot pour de longs déplacements, l'oiseau bondissant hors de l'eau à intervalles réguliers pour reprendre rapidement son souffle.

Des battements de pieds occasionnels peuvent procurer une poussée supplémentaire, mais, en dehors de cela, les petites pattes vigoureuses sont seulement utilisées comme freins et, bien sûr, pour marcher et sautiller à terre. Les griffes courtes et pointues permettent de s'agripper aux rochers humides et glissants. La démarche dandinante et comique des manchots est une de leurs caractéristiques les plus attachantes, et a contribué à leur donner une apparence humaine. C'est peut-être John Winter, naviguant avec sir Francis Drake, qui en 1578 commenta le premier la ressemblance des manchots avec les humains. Il écrivait : « *Ils marchaient si droit qu'un homme éloigné les aurait pris pour des petits enfants.* » Au début du XXe siècle, Edouard Wilson utilisa cette analogie dans sa saisissante conclusion à propos du manchot : « *dans son gilet de soirée à queue de pie* », et l'imagination populaire ne l'a jamais reniée. Quand ils se déplacent sur la neige ou la glace, les manchots trouvent souvent plus facile de se mettre à plat ventre et de pousser avec leurs pieds, comme s'ils faisaient de la luge. La queue, composée de 14 ou 16 plumes rigides, sert de gouvernail sous l'eau et de point d'appui à terre.

Manchots empereurs glissant sur la glace.

Lorsqu'ils plongent sous l'eau, tous les animaux à sang chaud doivent surmonter trois problèmes : disposer d'assez d'oxygène pour alimenter les fonctions corporelles, supporter la forte pression en profondeur et rester chaud et sec. L'hémoglobine du sang et la myoglobine des muscles sont des protéines complexes ayant une forte affinité pour l'oxygène, lui permettant d'être distribué dans tous le corps pour alimenter les tissus. Les oiseaux ne sont pas plus remarquables que les mammifères marins, mais ils ont un avantage supplémentaire : leurs poumons ne sont pas des culs-de-sac comme ceux des mammifères, mais des tubes conduisant à de grands sacs aériens qui occupent tout espace disponible dans le corps. Ils

Quand ils dorment, les manchots, comme ce manchot royal, continuent à cacher leur bec sous leur aile, de la même façon que devaient le faire leurs ancêtres volants.

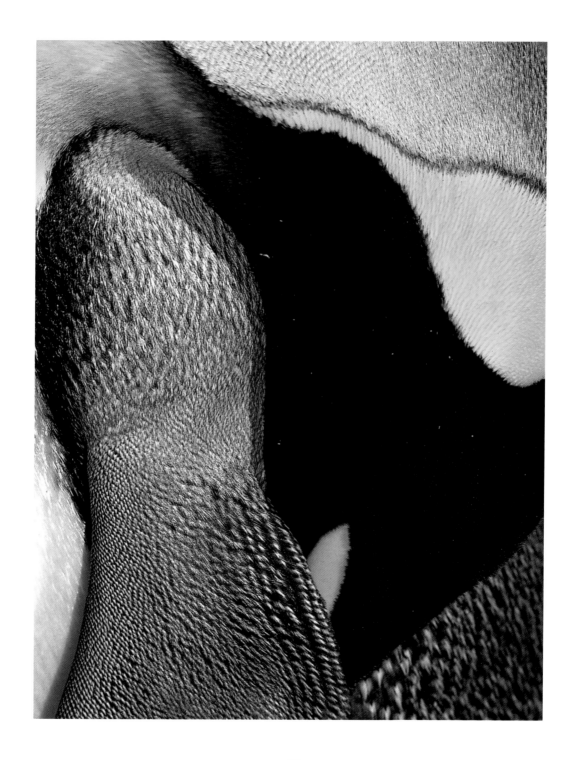

Plutôt gauches à terre, les manchots sont vraiment dans leur élément quand ils sont en mer ;
ils semblent voler sous l'eau. Les manchots royaux peuvent plonger
à 100 m pour capturer des poissons et des calmars.

bénéficient ainsi d'une plus grande réserve d'air. Résultat : la quantité d'oxygène que le manchot pygmée peut extraire de chaque respiration est de l'ordre de 50 %, comparé à 30 % pour les oiseaux non marins et seulement 15 % chez les mammifères.

Environ un tiers du besoin en oxygène d'un manchot en plongée est contenu dans ses poumons et sacs aériens, un autre tiers ou plus dans son sang et le reste dans ses muscles. Il semble que les manchots aient une faible capacité à extraire l'oxygène de la myoglobine des muscles, avant que trop de toxines se développent. En conséquence, ils ne peuvent rester sous l'eau plus de 18 minutes, contre 1 heure chez les phoques. Cependant, grâce à l'efficacité du transfert de l'oxygène par les poumons et les sacs aériens, un manchot peut se débarrasser très rapidement des toxines (en particulier du dioxyde de carbone) et n'a besoin de retourner que quelques secondes à la surface avant de replonger.

Les manchots pygmées ont tendance à limiter leurs activités à des plongeons courts et peu profonds. En revanche, les manchots royaux et empereurs plongent très régulièrement à plus de

Manchots royaux surfant jusqu'à la côte.

100 m et sont connus pour atteindre des profondeurs de plus de 500 m ! Normalement, les gaz sous pression se réduisent en volume et se dissolvent dans le sang. Les quatre cinquièmes de l'air sont bien entendu de l'azote, sans valeur pour les tissus, mais qui, quand l'animal regagne la surface, retourne à l'état gazeux et forme de dangereuses bulles. Chez l'homme, cela s'appelle la « maladie des caissons » et peut lui être fatal. On ne comprend pas totalement comment les manchots font face à ce problème, mais il semble particulièrement utile qu'un maximum d'air soit stocké dans les sacs aériens, où les bulles se forment moins facilement que dans les poumons. Il est évident toutefois que

les manchots sont meilleurs en plongée que ne sauraient le prédire les modèles mathématiques dérivés de notre savoir scientifique limité !

Le plumage d'un oiseau est couvert d'un enduit imperméable et isolant. Tous les oiseaux plongeurs doivent garder leur plumage en bon état, bien enduit de sécrétion cireuse et imperméable, et se lissent donc les plumes régulièrement. Un plumage rigide emprisonne de l'air, qui agit comme un isolant, mais qui pourrait être expulsé par la pression lorsque les manchots sont en plongée. La graisse accumulée sous la peau contribue à maintenir la chaleur du corps et agit comme une réserve pratique de nourriture, mais elle peut gêner le mouvement, c'est pourquoi les manchots comptent toujours sur leur plumage pour réaliser jusqu'à 80 % de leur isolation thermique.

Les plumes sont tellement efficaces à cet égard que des manchots actifs risquent la surchauffe, dans l'eau, mais surtout à terre par temps chaud et ensoleillé. Les espèces qui supportent des temps chauds comme les manchots du Cap et les manchots des Galapagos ont tendance à avoir des nageoires assez longues mais des plumes plus courtes, ainsi l'excès de chaleur du corps peut être éliminé. Le bec et les pieds ne sont pas emplumés et servent également à dissiper la chaleur ; certaines espèces des latitudes nordiques ont la face nue, qui devient rose pour favoriser la perte de chaleur. Les manchots des plus basses latitudes, comme les manchots empereurs, ont les plumes les plus longues, mais leur bec et leurs nageoires sont plus courts afin de minimiser la perte de chaleur ; par temps froid, ils cachent leur tête sous leurs plumes et se serrent bien les uns contre les autres pour conserver la chaleur.

Les manchots à jugulaire se reproduisent en très grand nombre sur les côtes du continent antarctique.
Pour des raisons évidentes, les Anglais les ont aussi nommés manchots casqués.

Plumage, nourriture et alimentation

Le plumage des manchots est invariablement sombre, souvent noir dessus et blanc dessous, une coloration commune à la plupart des oiseaux marins. Ils sont donc moins visibles si on les voit de dessus sur une mer sombre ou de dessous sur la surface brillante de la mer. De côté, cela produit un effet de contre-jour ; la surface dorsale sombre est surexposée alors que le dessous clair est dans l'ombre, si bien que l'oiseau semble plutôt uniformément gris et se fond mieux dans son environnement. Tout cela rend le manchot moins visible pour ses prédateurs, comme les requins, les léopards de mer, les otaries et les orques, et également moins voyant pour ses proies potentielles.

Les manchots du Cap ont des raies noires et blanches sur la tête et les flancs. Elles semblent servir à perturber et à rassembler les bancs de poissons, lorsque les manchots, qui coopèrent souvent, nagent en cercle autour d'eux avant de les attraper un à un. Les orques, qui possèdent des taches similaires sur les flancs, utilisent la même stratégie. La plupart des caractères diagnostiques du plumage des manchots sont concentrés autour de la tête, caractéristique qu'ils partagent avec d'autres oiseaux marins de l'hémisphère Nord, comme les alcidés, les plongeons et les grèbes. Il semble que cela permette aux manchots de se reconnaître lorsqu'ils nagent, seule leur tête étant visible. Cependant, les alcidés, les plongeons et les grèbes perdent ces ornements en hiver. Cette idée peut expliquer pourquoi les poussins du manchot empereur, qui doivent se serrer les uns contre les autres pour se tenir chaud, ont des taches blanches apparentes sur les joues, alors que les jeunes de la plupart des autres espèces, même le très proche manchot royal, sont uniformément sombres ou ont seulement le ventre clair. D'un autre côté, les jeunes manchots mettent plusieurs années pour acquérir leur plumage adulte complet, et par ailleurs la crête et les aigrettes de la tête ont tendance à s'aplatir quand elles sont humides, et ne sont donc pas très visibles en mer.

La coloration de la tête sert également à renforcer la parade nuptiale et les manifestations agressives. Les manchots d'Adélie tournent la tête d'un côté puis de l'autre pour exhiber leur anneau oculaire blanc tandis que les manchots papous inclinent fortement la tête pour montrer leur huppe blanche. Les gorfous secouent frénétiquement leurs

Les manchots à jugulaire se reposent en grands groupes sur la banquise de l'Antarctique.

aigrettes lorsqu'ils paradent ; si celles-ci sont coupées, ils peuvent avoir du mal à séduire une compagne, ce qui est aussi le cas des manchots royaux dont les taches orange aux joues ont disparu.

Il est également intéressant de noter que lorsque deux ou plusieurs espèces de manchots vivent côte à côte elles ont tendance à avoir des dessins vraiment différents sur la tête, probablement pour éviter les risques d'accouplements interspécifiques. Les gorfous sauteurs ont des aigrettes différentes des autres gorfous, et les manchots de Humboldt et de Magellan, qui partagent aussi des colonies, sont les plus distinctes des quatre espèces du genre *Spheniscus*.

Ci-dessus : manchot de Humboldt.
Page suivante : un gorfou doré, avec son élégant plumet jaune.

Les espèces voisines que sont les manchots d'Adélie, papous et à jugulaire sont les plus différentes des autres en apparence, et on peut les voir se reproduire ensemble sur quelques îles de la péninsule antarctique ; elles évitent d'entrer en compétition en adoptant des modes de vie assez différents. Les manchots d'Adélie et à jugulaire se nourrissent en grande partie de minuscules crevettes appelées le « krill », qui est abondant dans les eaux polaires. Les manchots à jugulaire ont tendance à capturer le krill le plus gros, mais cela vient peut-être du fait qu'ils se reproduisent un mois plus tard que les manchots d'Adélie, époque où les crevettes sont plus grandes, plus abondantes et plus proches de la terre ; ainsi ils n'ont pas à voyager très loin pour se nourrir. Les manchots papous se nourrissent plutôt dans la journée, quand le krill s'éloigne de la surface. Étant plus gros que leurs deux cousins, ils peuvent plonger plus profondément et, en complétant leur alimentation avec des poissons, ils trouvent assez de nourriture près du rivage.

Cette photographie de manchot des Galapagos montre l'effet du contre-jour sur son plumage.
La lumière atténue le noir du dos, et le blanc du ventre se trouve dans l'ombre,
rendant l'oiseau moins visible de dessous pour ses prédateurs et ses proies.

Les gorfous sauteurs peuvent être vus aux côtés des gorfous huppés, dorés ou de Schlegel, un peu plus gros, mais ce sont eux les spécialistes du krill, les autres mangeant plus de poissons et de calmars. On en sait moins sur les autres gorfous des eaux de Nouvelle-Zélande, mais il semble qu'eux aussi préfèrent les crustacés, comme le krill, et même les calmars. Les manchots antipodes, d'un autre côté, prennent plus de poissons, tandis que les manchots pygmées et les quatre manchots du genre *Spheniscus* ne mangent que des poissons. Ces derniers s'étendent plus au nord, car les courants d'eau froide procurent des nutriments et du plancton en abondance pour nourrir les bancs de sardines et d'anchois. Généralement, les manchots royaux se nourrissent presque entièrement de poissons plus gros, jusqu'à 10 cm de longueur, mais ceux qui se reproduisent sur l'île Marion dans le Subantarctique australien, leur préfèrent les calmars, plus consistants. Chez les manchots empereurs, les goûts sont plus éclectiques : quelques colonies vivent largement de poissons, d'autres mangent principalement des calmars, et d'autres encore surtout des crustacés.

Jeunes manchots royaux achevant d'acquérir leur plumage adulte.

Tous les manchots sont des plongeurs accomplis. Les manchots papous ont, par exemple, été enregistrés à 200 m sous l'eau, mais leurs plongées ne sont habituellement pas si profonde et ne durent que 2 à 3 minutes. Leurs séances de pêche en mer totalisent souvent 90 plongées en 4 heures. On a toutefois signalé un oiseau effectuant 460 plongées en 15 heures, en ne se reposant pas plus de 10 minutes entre les plongées. Les manchots royaux et empereurs étant les plus gros, ce sont eux qui descendent le plus bas et qui restent sous l'eau le plus longtemps. Les manchots royaux sont connus pour nager jusqu'à

*Des manchots du Cap profitant des vagues rafraîchissantes
de l'océan sur les côtes de l'Afrique australe.*

1 800 km de leur colonie, et plongent couramment à des profondeurs de 100 m ; certains ont même été notés à 325 m. Quant aux plongées des manchots empereurs, elles dépassent souvent 200 m ; un de ces sujets détient même le record de profondeur avec pas moins de 535 m. On a vu un manchot empereur rester sous l'eau 18 minutes, mais cela était probablement exceptionnel. À l'autre extrême, les manchots pygmées plongent rarement à plus de 5 m et restent généralement moins de 1 minute sous l'eau.

La mue

Les rigueurs de la reproduction et le perpétuel nettoyage soumettent le plumage d'un oiseau à une forte usure. Les plumes doivent être remplacées chaque année, habituellement après la saison de ponte. Cette mue se fait graduellement en plusieurs semaines, afin que les oiseaux gardent assez de plumage pour conserver leur chaleur corporelle. Cependant, les manchots perdent leur imperméabilisation, et doivent donc rester à terre jusqu'à ce que la mue soit achevée. Pour un oiseau comme le manchot royal, produire environ 1 kg de plumes peut être assez exigeant en terme d'énergie. Cela nécessite donc de passer d'abord quelques semaines en mer, afin d'accumuler suffisamment de réserves de graisse pour survivre à la période de diète forcée pendant la mue. De fait, les manchots doivent doubler leur poids, si bien que les plus dodus d'entre eux ont parfois des difficultés à se déplacer à terre !

Les manchots pygmées ne perdent pas de temps et renouvellent leur plumage en moins de 18 jours environ, alors que les manchots royaux, plus grands, y consacrent 32 jours. Certains oiseaux perdent au moins la moitié de leur poids dans ce processus. Ils retournent donc aussitôt après en mer pour se nourrir et retrouver leur condition physique avant que l'hiver s'installe.

Le cycle de reproduction des manchots royaux dure environ un an ; les oiseaux doivent donc muer juste avant de recommencer à nicher. Les manchots des Galapagos se reproduisent moins d'une fois par an, car dans les eaux tropicales où ils vivent l'abondance des poissons est très variable et imprévisible. Il est également nécessaire pour eux de muer avant de se reproduire, un phénomène rare chez les oiseaux. Cependant, les années où la nourriture est particulièrement rare, ces manchots préfèrent ne pas nicher plutôt que de risquer de ne pas pouvoir muer.

Vie sociale des manchots

Il est très intéressant de voir des manchots dans un zoo, mais rien ne vous prépare vraiment au spectacle d'une colonie de ces oiseaux à l'état sauvage. J'avais vu quelques centaines de colonies de manchots royaux dans l'archipel des Malouines, mais celle de Lusitania Bay sur l'île Macquarie était incroyable. Notre bateau émergea du brouillard au petit matin, face à ce que je pris pour une plage de cailloux. Mais un coup d'œil dans mes jumelles me révéla que les pierres étaient des manchots. Des dizaines de milliers de manchots royaux se tenaient debout, épaule contre épaule, sur chaque centimètre carré du sol. Des centaines d'autres nageaient autour du bateau. On nous apprit qu'il y avait là 70 000 couples nicheurs, ce qui, avec les oiseaux non reproducteurs qui gravitaient autour de la colonie, équivalait à un quart de million d'oiseaux réunis. Cependant, la plus importante colonie connue se trouve dans les îles Crozet, bien au sud de Madagascar, dans l'océan Indien : elle abrite 300 000 couples nicheurs !

Les îles Sandwich du Sud revendiquent 5 millions de manchots à jugulaire, soit la moitié de la population mondiale, ce qui contraste avec la dizaine de couples nichant sur les îles Balleny, de l'autre côté de l'Antarctique. L'île Macquarie abrite environ 1 million de couples de gorfous de Schlegel, une espèce qui n'existe nulle part ailleurs dans le monde. De notre bateau, nous voyions des centaines d'oiseaux debout sur les rochers, véritables lilliputiens à côté de deux chercheurs qui venaient nous rejoindre. Un jeune jouait même avec le bout du lacet de la chaussure de l'un d'eux.

À l'inverse, les quatre espèces de manchots du genre *Spheniscus* et les manchots pygmées nichent habituellement dans des terriers, et leurs colonies ne sont donc pas aussi spectaculaires. Néanmoins, une colonie de manchots de Magellan, située à Punta Tumbo, en Argentine, totalise un quart de million de couples, et il en résulte une cacophonie impressionnante. Les colonies que j'ai vues dans les Malouines étaient plus petites. Certains gorfous nichent à couvert dans d'épaisses broussailles, si ce n'est dans de vrais terriers. Quant aux gorfous des Snares, ils ont un véritable talent pour grimper sur de petits arbres afin d'atteindre leur nid. Les plus petites espèces – manchots pygmées,

Normalement lisses et soignés, les manchots royaux semblent déguenillés lorsqu'ils s'apprêtent à perdre leurs plumes usées pour acquérir un nouveau plumage.

manchots des Galapagos et manchots antipodes – sont les moins sociales de toutes ; les couples préfèrent souvent se mettre hors de vue les uns des autres, mais la voix joue en revanche un rôle important dans leur vie communautaire.

Les emplacements des colonies de manchots sont immuables ; sur les îles retirées en pleine mer, les bons sites peuvent être difficiles à atteindre pour un oiseau non volant. Très peu de nouvelles colonies s'installent, parce que les manchots adultes préfèrent retourner dans la colonie de leur naissance. Là, ils sont habitués à la topographie locale et se trouvent en sécurité de par leur nombre, car un léopard de mer affamé ne peut attaquer qu'un manchot à la fois. De plus, en suivant le groupe, un manchot a des chances d'être conduit vers des fonds marins riches en nourriture. Enfin, en se rassemblant en un seul lieu pour l'été, un grand groupe d'oiseaux est plus à même de synchroniser ses activités de reproduction, ce qui rend par exemple plus facile la recherche d'une compagne ou la protection des œufs et des poussins contre les labbes omniprésents ; les manchots réduisent ainsi la prédation globale.

Les grandes colonies sont plus sûres et produisent plus de poussins par couple nicheur : 1,18 dans des colonies de 300 couples de manchots papous contre 0,8 seulement dans une colonie de 50 couples. Les nids situés près du centre d'une colonie ont également un meilleur succès de reproduction que les nids périphériques ; les pontes y sont plus précoces, les couvées à deux œufs plus fréquentes et le succès à l'éclosion meilleur. Ces résultats proviennent du fait que les vieux oiseaux s'installent près du centre tandis que les plus jeunes, inexpérimentés, se trouvent à la périphérie.

La parade nuptiale

Les espèces qui nichent en colonies denses, comme les manchots d'Adélie et les manchots à jugulaire, ont un répertoire de comportements sociaux particulièrement riche. Nichant si loin au sud, elles doivent effectuer leur cycle de reproduction en un temps minimal et être bien synchronisées. Pour attirer les femelles par exemple, les mâles effectuent les parades nuptiales les plus élaborées. Tous les manchots suivent le même comportement ; ils déploient leurs nageoires en tendant leur cou vers le ciel et en criant fort. Les manchots d'Adélie, en plus de cela, font vibrer leur poitrine, claquent du bec et

En suivant le groupe, ces manchots royaux devraient être conduits aux meilleures zones de pêche.

Le toilettage mutuel renforce les liens du couple. Cela peut aussi être un exercice utile pour les manchots nichant dans des terriers, comme les manchots de Magellan, qui sont souvent couverts de puces.

battent des ailes. Les gorfous, eux, secouent leur tête pour exhiber leurs aigrettes dorées.

Quand un manchot veut chasser un intrus, il agite la tête alternativement de gauche à droite, en ouvrant de grands yeux menaçants. Le manchot d'Adélie accroît son effet en rejetant la tête en arrière jusqu'à toucher ses épaules. Ces gestes d'intimidation servent d'avertissement pour éviter les combats, mais en dernier ressort l'oiseau se jettera en avant, donnera des coups de bec et de nageoire. Le manchot papou, aux manières plus distinguées, se contente d'effectuer des bâillements rituels, pour exhiber l'intérieur de son bec orange vif. Les espèces nichant en colonies les plus denses, comme les manchots d'Adélie, les gorfous sauteurs et les gorfous dorés, ont une forme élaborée de comportement d'apaisement pour empêcher l'affrontement ; l'oiseau essaie d'être moins visible en comprimant son plumage, et moins menaçant en détournant son regard. Chez le manchot antipode, cette posture est très justement appelée le « regard embarrassé ». Le manchot pygmée se penche en avant pour cacher sa poitrine blanche, cible évidente dans l'obscurité de son terrier.

Un gorfou doré en colère.

Avant d'atteindre leur propre nid, certains manchots d'Adélie et gorfous dorés doivent se déplacer parmi plus de cent voisins étroitement entassés. Ils rendent cette activité légèrement moins intimidante en adoptant une « démarche modeste » : ils se déplacent rapidement parmi la foule, sur la pointe des pieds, avec la tête tendue vers le ciel et les ailes déployées.

Ayant attiré une compagne, les oiseaux doivent alors affirmer leur occupation du nid et renforcer les liens du couple en effectuant des parades mutuelles, parfois désignées sous le nom de « cérémonie de bienvenue ». C'est habituellement une sorte de parade extatique, mais réalisée en duo, plus longuement et avec moins de mouvements de tête

(sauf, bien sûr, dans le cas du fastueux gorfou sauteur). Le salut est un trait caractéristique du manchot papou, tandis que le manchot d'Adélie mâle commence par une attaque frontale sur sa compagne pour l'inciter à se courber en position de soumission, avant d'entamer avec elle un chant complet. La parade continue éventuellement par un toilettage mutuel. Cet usage est particulièrement développé chez les manchots pygmées et les manchots du genre *Spheniscus* qui, nichant dans des terriers, souffrent de la présence d'un grand nombre de puces et de tiques. Les espèces de l'Antarctique n'ont pas l'air d'avoir autant de parasites et se livrent rarement au toilettage mutuel.

Le manchot royal et le manchot empereur ne défendent pas de territoire. Ils ont donc incorporé dans leur parade des éléments très originaux. Ils se serrent les uns contre les autres pour se prémunir du terrible hiver de l'Antarctique, et ne peuvent donc pas se permettre d'être trop agressifs. Pour la parade extatique, le mâle chante, tête baissée, et dès que la femelle apparaît, le couple se met face à face. Chez le manchot royal, ils pointent tous les deux leur tête vers le ciel, après quoi le couple entame un duo de coups de trompette détonnante. Ensuite, ils entreprennent une marche dandinante à travers la colonie, généralement menée par le mâle. Ces fanfaronnades aident les partenaires à rester en contact et à se distinguer des oiseaux qui déambulent normalement. Cela se termine par une série de saluts et enfin par l'accouplement.

Pour s'accoupler, le manchot mâle aborde la femelle par-derrière, et de son bec lui touche la nuque. Si elle est réceptive, elle se couche sur le ventre pour qu'il puisse la féconder. Leurs nageoires les aident à maintenir l'équilibre, pendant que leurs queues donnent des coups de droite à gauche pour maintenir le contact. Les manchots royaux abandonnent leur démarche dandinante après la ponte, mais, en l'absence de territoire, leur duo reste important pour favoriser la reconnaissance mutuelle.

L'une des postures les plus caractéristiques des manchots, tel ce manchot à jugulaire, est la parade extatique, utilisée pour revendiquer la propriété d'un territoire et pour attirer une femelle.

Nids et reproduction

Les manchots royaux et empereurs sont uniques du fait qu'ils n'ont pas besoin de nid, puisqu'ils couvent leur seul œuf sur leurs pieds. Chez toutes les autres espèces, le nid est l'objectif de l'effort de reproduction. Si deux espèces ou plus nichent au sein de la même colonie, elles n'ont généralement pas les mêmes préférences pour le choix du site du nid ; ainsi, elles maintiennent le contact avec leur propre espèce et réduisent la compétition interspécifique. En se reproduisant plus tôt, les gorfous huppés et les gorfous dorés confinent les gorfous sauteurs, plus tardifs, à des terrains plus pentus ; de même, la présence de manchots royaux peut repousser les gorfous dorés plus haut sur les pentes. Les accès rocheux à ces colonies élevées présentent souvent des rayures profondes, creusées par les ongles de générations de manchots, lors de leurs allées et venues.

Sur les îles situées au large de la péninsule Antarctique, les manchots papous préfèrent des terrains plus plats sur lesquels leurs nids sont largement espacés (habituellement à 1 mètre les uns des autres). Les manchots d'Adélie, à l'inverse, s'installent sur des buttes et des crêtes ventées qui sont libres de neige plus tôt en saison. Dans ces conditions, ils espacent leurs nids de 80 cm. Les manchots à jugulaire peuvent s'accommoder de pentes plus raides et plus élevées où ils nichent à des densités intermédiaires.

Mais même dans ces situations, il existe une certaine compétition. Les manchots d'Adélie arrivent un mois plus tôt que les manchots à jugulaire et sont parfois contraints d'abandonner leurs nids et leurs œufs à leurs cousins plus agressifs. Bien que les deux espèces soient de même taille, les manchots d'Adélie ont déjà jeûné dans la colonie depuis plusieurs semaines, alors que les manchots à jugulaire arrivent de la mer, frais et dispos. Habituellement, les manchots à jugulaire ont déjà niché là les années précédentes, tandis que les manchots d'Adélie sont souvent de jeunes oiseaux inexpérimentés, cherchant leur premier site de reproduction. Toutefois, certains manchots à jugulaire deviennent trop entreprenants, ainsi un jeune célibataire a essayé neuf nids de manchots d'Adélie pendant son séjour de deux semaines dans la colonie. Les manchots à jugulaire transfèrent généralement ces nids, car ils ne peuvent tolérer d'être trop près de voisins

Les poussins du manchot empereur sont couvés sur les pieds des adultes,
où ils sont protégés par un chaud repli de peau ventrale.

tels que les manchots d'Adélie. Les œufs de ces derniers sont abandonnés, mais on a déjà vu un couple de manchots à jugulaire élever par inadvertance un poussin de manchot d'Adélie !

La plupart des manchots construisent des nids rudimentaires, mais les manchots d'Adélie et les manchots à jugulaire peuvent édifier un grande structure de cailloux, qui sert probablement à surélever les œufs par rapport aux écoulements d'eau ou de boue. Comme l'observait Herbert Ponting, photographe du capitaine Scott, « un petit larcin est une attaque courante ; les manchots sont des voleurs invétérés, et ne peuvent résister à la tentation de chaparder une pierre dans un nid voisin quand l'occasion se présente ». Son collègue médecin le Dr Murray Levick peignit quelques cailloux en rouge et en fit un monticule sur une petite butte. En quelques heures, ils avaient tous disparu, et il en vit dans chaque nid de la colonie de manchots d'Adélie ! Il aperçut aussi des morceaux de métal et de verre, la moitié d'une barre de chocolat et la tête d'une petite cuillère, chapardés dans le tas d'ordures du camp pour être incorporés dans les nids.

En limite la plus australe de leur aire de répartition, les manchots papous ont également recours aux cailloux, et jusqu'à 1 700 pierres furent dénombrées dans un nid de taille moyenne. Les manchots papous préfèrent généralement la végétation, mais ils la détruisent vite en construisant leurs nids et par leurs piétinements et leurs déjections. Le sol peut mettre des années avant de se reconstituer, néanmoins la végétation qui en résulte est luxuriante. Les bergers des îles Malouines apprécient ce fertilisant gratuit pour leurs pâturages. Les manchots papous, pendant ce temps, se déplacent vers un site propre distant de 150 m ou plus.

Les gorfous de Fjordland, les gorfous de Snares et les manchots antipodes utilisent également des pierres, des brindilles et de l'herbe pour garnir leurs nids rudimentaires, qui sont habituellement situés dans un couvert dense, surplombés par des racines, des branches ou des herbes, ou alors dans des crevasses ou des grottes. Ayant tendance à nicher à des latitudes plus modérées, ces espèces doivent protéger leurs œufs du soleil et des prédateurs potentiels. Les manchots des Galapagos et les manchots de Humboldt cherchent des recoins et des lézardes sombres et ombragés alors que les manchots pygmées, les manchots du Cap et les manchots de Magellan préfèrent les terriers, s'appropriant même ceux d'autres oiseaux comme les puffins ou s'en creusant eux-mêmes. Les pontes des ces nids ont un meilleur succès d'arriver à leur terme que ceux placés à

Certains manchots sont des voleurs invétérés et ne peuvent résister à la tentation de chaparder une pierre dans un nid voisin. Ce manchot papou ne fait pas exception ; il peut ramasser jusqu'à 1 700 pierres pour construire son nid.

*Nichant sous des latitudes plus tempérées, ce manchot du Cap a sagement choisi de pondre
à l'ombre dans un terrier. Les œufs des manchots des Galapagos, exposés
au soleil brûlant des tropiques, peuvent cuire en quelques minutes.*

découvert, et plus le terrier est profond, plus l'adulte nicheur et son poussin sont protégés du soleil ou du vent. Le nid des manchots des Galapagos est tellement bien dissimulé que le tout premier à être découvert, qui contenait deux poussins, ne le fut qu'en 1954. Il fallut encore six ans avant de découvrir la première couvée de deux œufs. Certains nids manquent d'ombre, et, à des températures qui peuvent atteindre 40 °C, il est arrivé qu'un couple abandonnant sa couvée à midi pour se rafraîchir en mer retrouve ses œufs cuits à son retour !

Les œufs

Les manchots royaux et les manchots empereurs, de par le mode d'incubation de leurs œufs, n'en pondent qu'un seul. Dès que la femelle a pondu l'œuf, le mâle le lui retire aussitôt. Il le place sur ses pieds et le recouvre d'un épais et chaud repli de peau richement vascularisé. Contrairement aux manchots empereurs, les manchots royaux sont capables de pondre un œuf de remplacement en cas de perte du premier. Les oiseaux sont tellement acharnés à satisfaire leur besoin d'incuber que, s'ils perdent leur œuf, ils adopteront presque n'importe quel substitut ; pourrons ainsi faire l'affaire des morceaux de glace ronds, des boules de neige, des pierres, des bouteilles, des boîtes de conserve, un poisson mort, voire un étui d'appareil photo en cuir ou un pain au lait rassis ! Les manchots empereurs qui couvent réalisent des performances athlétiques extraordinaires ; on en a même vus parvenir à se gratter la tête avec un pied alors qu'ils se tenaient sur l'autre et que leur œuf était toujours en sécurité dans leur poche abdominale !

Tous les autres manchots pondent deux œufs blanchâtres, à quatre jours d'intervalle. Les jeunes femelles inexpérimentées peuvent ne pondre qu'un œuf au début, et certains oiseaux perdent un œuf durant l'incubation. Des couvées de trois œufs ont été signalées, mais elles semblent plutôt être le produit de plus d'une femelle, ou venir du fait qu'un œuf ait roulé d'un nid voisin. Les manchots du Cap peuvent parfois produire des couvées de remplacement lorsque la première reproduction a échoué ; certains manchots papous font de même, dans le nord de leur aire de répartition. Mais le manchot pygmée est le seul à élever régulièrement deux nichées, à chaque fois qu'une bonne saison lui permet de commencer à se reproduire assez tôt.

La durée de la période de reproduction a tendance à se réduire sous les latitudes plus australes, où une synchronisation minutieuse est alors vitale. Hormis chez le manchot antipode, l'incubation commence généralement avec le premier œuf, donc le poussin éclôt avec des jours d'avance sur le second. Cela lui donne un avantage immédiat, et si la nourriture devient rare le second poussin peut mourir de faim. Le poids des œufs varie de 450 g chez le manchot empereur à 50 g chez le manchot pygmée, ce qui représente de 2 à 5 % du poids de la femelle ; ils sont en proportion plus petits que ceux d'à peu près n'importe quel autre oiseau. Chez le manchot pygmée, les manchots du genre *Spheniscus*, le manchot antipode et le manchot à jugulaire, les deux œufs ont environ la même taille. Chez le manchot d'Adélie et le manchot papou, le premier œuf est de 2 à 5 % plus gros que le second.

Accouplement de manchots d'Adélie.

Chez presque tous les autres oiseaux, quand un œuf est plus gros, c'est invariablement celui qui est pondu en premier. Cependant, les gorfous sont les seuls à produire un second œuf plus gros que le premier, parfois jusqu'à 70 % de plus. Des expériences d'échange d'œufs ont démontré comment leur premier œuf peut néanmoins être viable. Il peut même éclore, mais seuls un couple de gorfous des Snares et deux couples de gorfous sauteurs ont pu élever avec succès ces poussins. Ce sont les gorfous dorés qui subissent la plus grande perte de premier œuf, beaucoup avant même que le second ne soit pondu. Ayant tendance à couver dans une position plus verticale et à placer leur premier œuf devant le second, ils le mettent à la merci de prédateurs tels que les labbes. Rares sont ceux, quand il y en a, qui parviennent à faire éclore les deux œufs. D'autres espèces sont même connues pour éjecter

Sur le point d'acquérir son plumage, ce petit manchot papou va devoir pourchasser ses parents pour prouver son identité et gagner son repas de poisson et de soupe de krill.

Les labbes sont une menace permanente dans toutes les colonies de manchots. Celui-ci dérobe
un œuf de manchot papou laissé sans surveillance. Cela peut être la conséquence
assurée du dérangement du couveur par l'homme.

délibérément le premier œuf hors du nid. À l'extrême opposé, plus de la moitié des couples de gorfous de Fjordland parviennent à faire éclore les deux œufs ; un seul poussin survit, mais il peut provenir aussi bien du premier que du second œuf. On dit souvent que l'œuf le plus petit est une police d'assurance contre la perte du second œuf, mais cela n'explique pas pourquoi le premier doit être le plus petit. De plus, certaines espèces tel le gorfou doré ne gardent même pas le premier œuf assez longtemps pour s'assurer contre la perte future du second. Tout cela est très curieux et constitue un passionnant sujet de recherche pour les biologistes dans les années à venir.

L'incubation

Les 200 000 couples de manchots empereurs vivant dans le monde se répartissent dans 35 colonies autour de l'Antarctique et ont le cycle annuel de reproduction le plus étonnant de tous les oiseaux. Alors que l'hiver commence à s'installer sur l'Antarctique, en mars ou quelques semaines plus tard selon l'endroit, les manchots empereurs, surchargés de graisse, prennent place sur la banquise. Après environ un mois de parade nuptiale, la glace s'est étendue et

Un manchot pygmée d'Australasie.

la mer est à 100 km de là. Début mai, la femelle pond son œuf, le confie au mâle et commence son voyage vers la mer ; n'ayant pas mangé durant plusieurs semaines, elle a perdu un quart de son poids. Curieusement, le mâle reste à son poste pour voir l'œuf éclore, endurant le pire de ce que l'hiver antarctique peut offrir, c'est-à-dire des vents atteignant souvent 200 km/h et des températures descendant à -60 °C.

Durant tout ce temps, les mâles se serrent étroitement pour se tenir chaud, dos au vent, et s'exposent tour à tour à l'extérieur. Chaque oiseau restreint ses mouvements pour économiser son énergie ; on a vu un sujet rester exactement au même endroit pendant 23 jours ! Il ralentit même ses fonctions corporelles et son métabolisme et survit grâce à ses réserves de graisse. S'il les a mal estimées, il devra abandonner son œuf. Mais si tout fonctionne comme prévu, l'œuf éclôt après environ 64 jours et le pauvre père très amaigri parvient encore à rassembler assez de nourriture des profondeurs de son estomac pour fournir son premier repas à sa progéniture. Pratiquement au même moment, quelques semaines après que le soleil a réapparu à l'horizon, sa partenaire revient, grasse et lisse, rapportant 3 kg de poissons pour commencer à nourrir son poussin. Le mâle affaibli ne se fait pas prier pour l'abandonner. Il doit lui rester encore 2 kg de réserves de graisse pour s'alimenter durant les quelque 160 km qui le séparent encore de la mer, où il pourra enfin se nourrir. À son arrivée à la colonie quatre mois plus tôt, il pesait 38 kg, mais à présent il ne dépasse guère 20 kg ; un peu moins, et il ne survivrait pas jusqu'à son retour à la mer.

Se reproduisant beaucoup plus au sud, les manchots royaux supportent un régime moins rigoureux. Vers décembre, la parade nuptiale est achevée et la ponte des œufs commence. C'est cependant une affaire qui traîne en longueur, et les tout derniers œufs peuvent ne pas être pondus avant avril. La femelle laisse au mâle le soin de l'incubation et retourne à la mer pour se nourrir. Dix-huit jours plus tard, elle revient pour remplacer le mâle, qui a perdu à peu près le tiers de son poids depuis qu'il a commencé la parade, six à huit semaines auparavant. Il reviendra environ 18 jours plus tard, et le couple réduira graduellement la longueur de ses déplacements jusqu'à ce que l'œuf éclose, soit 54 jours plus tard.

Les plus petits manchots ont des périodes d'incubation plus courtes, de 35 à 38 jours chez la plupart des espèces, et seulement 33 jours chez le manchot pygmée. La durée d'incubation des manchots antipodes est peu commune, car elle varie de 39 à 51 jours selon les couples. Chez tous les manchots, à l'exception du manchot empereur, l'incubation est répartie équitablement entre les deux sexes, bien que la femelle puisse parfois en assurer la charge de façon prépondérante.

Le manchot empereur mâle couve l'œuf durant le terrible hiver antarctique, afin que les deux parents puissent élever leur poussin pendant le court été, lorsque le soleil ne se couche jamais.

Bien que les gorfous pondent deux œufs, un seul poussin atteint l'âge adulte ;
il est habituellement issu du second œuf, plus gros. Les gorfous de Fjordland
de Nouvelle-Zélande sont aussi discrets que rares.

L'élevage des poussins

Un poussin de manchot met une journée à s'extraire de sa coquille. Les manchots royaux et empereurs peuvent mettre deux ou trois jours. Étant seulement couverts d'une fine couche de duvet à l'éclosion, les poussins doivent être couvés par leurs parents pendant quelques semaines, jusqu'à ce qu'ils soient capables de réguler leur température corporelle. Chez le manchot des Galapagos, cette couvaison ou « phase de garde » a plus pour but de protéger le poussin du soleil que de le garder au chaud. Sa durée varie de deux semaines chez le manchot pygmée à trois semaines chez les manchots de taille moyenne, et jusqu'à six à sept semaines chez le manchot antipode, le manchot royal et le manchot empereur. Après cela, les poussins sont livrés à eux-mêmes une grande partie du temps, et les deux parents retournent à la mer se nourrir. Les poussins peuvent se rassembler en crèches, dont la taille varie selon les espèces – ils sont des milliers chez les manchots royaux et les manchots empereurs et seulement quelques-uns chez les manchots pygmées –, tandis que les espèces qui nichent dans les terriers ne le font pas du tout. Les crèches ont pour but de réduire la prédation par les labbes et les pétrels géants, mais chez le manchot royal et le manchot empereur leur fonction principale est d'augmenter les chances de survie du poussin contre le froid.

Les premiers jours, le poussin reçoit de fréquents petits repas quotidiens puis, en grandissant, seulement un ou deux. Les poussins reconnaissent l'appel de leurs parents lorsqu'ils reviennent avec de la nourriture, et ils ne sont jamais nourris par un autre manchot. Les manchots d'Adélie plus âgés doivent parfois poursuivre l'adulte à travers la colonie, peut-être pour lui montrer que le poussin le plus insistant a de fortes chances d'être le sien ! Les manchots d'Adélie et les manchots à jugulaire, qui se reproduisent pendant le très court été antarctique, ont les taux de croissance les plus rapides de tous ; leurs poussins acquièrent leur plumage à 50-60 jours, alors qu'ils pèsent seulement 80-90 % de leur poids adulte. La plupart des autres espèces le font entre 60 et 80 jours, mais cela peut aller jusqu'à 100 jours chez le manchot antipode et quelques manchots papous et manchots de Magellan, et même plus chez les manchots empereurs et les manchots royaux.

Les manchots empereurs ont programmé leur reproduction afin que l'incubation ait lieu pendant l'hiver, et qu'ainsi les poussins éclosent et grandissent pendant le court été antarctique. Un scientifique français, Jean Rivolier, ironisait de la manière dont les jeunes manchots empereurs semblent voir en leurs pères lourds et grassouillets des garde-manger ambulants ; ils s'y accrochent immédiatement avec une sorte d'avidité flagrante que seule une vraie faim peut excuser ! Le temps suit son cours, cependant, et après environ 150 jours le jeune acquiert son plumage ; il pèse seulement la moitié du poids adulte normal. La famine est donc une cause courante de mortalité, avec bien sûr les dangers omniprésents que constituent les léopards de mer et les orques. Une fois que les manchots ont atteint l'âge adulte, à environ cinq ou six ans, leur espérance de survie devient raisonnablement bonne.

Alors que le cycle de reproduction des manchots empereurs sur la banquise est assez remarquable, celle des manchots royaux est à peine croyable. À l'éclosion, le poussin est presque nu, gris sombre et lisse comme du cuir, bien que son duvet pousse vite. Dès la troisième semaine, d'après le biologiste Bernard Stonehouse, il est « *grotesquement gros, de forme pyramidale, et il se traîne avec ses plis de peau flasques* ». À cinq ou six semaines, il est trop gros pour s'abriter sous le ventre de l'adulte et rejoint une crèche. Après quelques mois, couvert d'un fin duvet, il atteint presque la taille de ses parents. Au début, les naturalistes prirent d'abord ces étranges créatures pour une nouvelle espèce qu'ils appelèrent « manchot laineux ».

L'hiver s'est maintenant installé, et les visites des parents chargés de nourriture deviennent de moins en moins fréquentes et s'arrêtent souvent tout à fait. De mai jusqu'à août, période la moins clémente de l'année, un poussin de manchot royal, s'il est chanceux, sera nourri seulement trois fois et avec des repas plutôt légers. Beaucoup ne sont pas nourris du tout et devront vivre de leurs réserves de graisse. Comme leurs cousins les manchots empereurs, ils acquièrent un peu d'isolation grâce à leur corps gras et à leur plumage dense, mais ils en viennent de plus en plus à ralentir leur métabolisme pour conserver autant d'énergie que possible, restreignant tout mouvement inutile et se serrant étroitement les uns contre les autres pour lutter contre le froid et les tempêtes. Ils peuvent perdre 70 % de leur poids, et ceux qui ne pesaient pas au moins 7 kg au début de l'hiver ne survivent pas. Ainsi, de nombreux poussins issus des dernières couvées des manchots royaux meurent.

Les jeunes manchots empereurs ont une face blanche typique, contrairement aux poussins entièrement bruns des manchots royaux.

Vers la fin de septembre, les adultes commencent à reprendre leurs fonctions parentales. Les poussins survivants peuvent peser de 3 à 8 kg lorsqu'ils sont en bonne santé, et ils ont de bonnes chances d'acquérir leur plumage. Après 24 semaines avec peu ou pas de nourriture, ils reprennent rapidement du poids, et vers mi-novembre ils commencent à perdre leur duvet au profit d'un plumage immature. Il est amusant de les voir s'acharner à se lisser les plumes, mais il y a des endroits du corps qu'ils ne peuvent atteindre. Certains arborent encore un comique bonnet laineux lorsqu'ils gagnent la mer ; pour le reste, leur plumage est une sombre imitation de celui des adultes.

Libérés de leurs responsabilités, ces derniers commencent à avoir des démangeaisons et se livrent à de frénétiques séances de grattage jusqu'à ce que le sol de la colonie soit couvert de plumes muées. Il leur a fallu près d'un an pour élever leur unique poussin, et ils doivent encore muer ; l'été sera donc fini avant qu'ils ne soient en état de parader et finalement de pondre un œuf. Ils ont, en fait, peu de chances de réussir et, forcés de sortir prématurément du cycle, ils sont de nouveau en état de se reproduire au tout début de la saison suivante. Ainsi, s'ils sont chanceux et expérimentés, ils peuvent arriver à élever deux poussins en l'espace de trois ans. Les albatros hurleurs et royaux sont les seuls autres oiseaux au monde qui mettent plus d'une année pour se reproduire ; ils n'ont pas de flexibilité dans les dates de ponte et ne peuvent élever qu'un poussin en deux ans.

Le succès de reproduction

Bien que de nombreux manchots produisent deux œufs par couvée, peu arrivent à élever les deux jeunes, la moyenne variant de 0,5 à 1 poussin par couple. Avec 0,6 à 0,8 jeune par couple, les manchots royaux et empereurs ont un assez bon succès, compte tenu qu'ils ne pondent qu'un œuf. Les gorfous produisent effectivement un œuf viable mais ne parviennent à élever que 0,3 à 0,5 poussin par couple. Le manchot antipode est parmi les plus productifs, 60 % de ses couvées produisant deux jeunes. La plupart des autres peuvent avoir des jumeaux, mais la fréquence varie d'une année sur l'autre. Les manchots papous présentent la plus grande variation annuelle et font preuve d'une productivité croissante du nord au sud. Ceux des îles Crozet ont en moyenne seulement

Selon un scientifique, les poussins du manchot empereur voient en leur père un « garde-manger ambulant ».
Ce petit est maintenant trop vieux pour se protéger sous son parent bienveillant.

0,5 poussin par couple, tandis que près de la péninsule antarctique, où la nourriture est abondante, ils peuvent atteindre 1,2 jeune par couple, un tiers des couples élevant des jumeaux. Il a aussi été démontré que les manchots papous expérimentés avaient un succès reproducteur deux fois plus élevé que les oiseaux nichant pour la première fois.

On a montré que des manchots de Magellan de faible poids pondent tardivement, que leurs œufs sont plus petits et que leurs poussins ont une croissance lente. Cela correspond à des périodes où les bancs de poissons sont soit rares, soit loin des colonies. Les faibles réserves de graisses des adultes reproducteurs s'épuisent plus rapidement, les forçant à abandonner leurs œufs ou leurs poussins. Lors de telles périodes, ils n'arrivent à élever que 0,1 poussin par couple, comparé à 0,6 les bonnes années. Les couples de manchots des Galapagos peuvent atteindre la moyenne de 1,3 poussin par couple, mais s'ils n'ont pas assez de nourriture ils peuvent échouer complètement dans leur reproduction. Les manchots de Humboldt et les manchots du Cap souffrent également, la fluctuation de la quantité de nourriture étant une caractéristique de leur environnement saisonnier.

Ce sont les forts upwellings des eaux froides australes, le long des côtes ouest de l'Amérique du Sud et de l'Afrique du Sud, qui permettent à ces espèces de vivre aussi loin sous les climats tropicaux. Mais tous les sept ans environ, les alizés sud-est dominants diminuent, permettant aux eaux chaudes de descendre vers le sud. Les stocks de poissons s'effondrent, ce qui est catastrophique pour les oiseaux marins. Les brises du large apportent la pluie, souvent au moment de Noël, c'est pourquoi les Péruviens ont nommé ce phénomène *El Niño*, « le petit enfant ».

Le cycle de vie

Les jeunes manchots, une fois qu'ils ont acquis leur plumage, sont exposés à toutes sortes de dangers, et la moitié d'entre eux peut mourir au cours des premiers mois en mer. Durant cette période, ils peuvent nager assez loin des colonies ; un manchot pygmée a ainsi parcouru 37 km en seulement trois jours ; d'autres ont été trouvés à 966 km au large.

S'ils survivent à leur première ou deuxième année en mer, les jeunes oiseaux commencent à revenir dans la colonie. Sur 18 000 manchots d'Adélie bagués en Antarctique, 51 seulement retournèrent ailleurs, la plupart dans une colonie située à moins de 1 kilomètre de la leur. En fait, ils sont si fidèles à leur colonie natale que trois quarts d'entre eux finissent par nicher à moins de 1 mètre de l'endroit ou ils ont éclos.

Bien que les gorfous dorés, s'ils sont chanceux, n'élèvent qu'un jeune par an, ils sont les manchots les plus abondants au monde. Pas moins de 11 millions de couples habitent l'océan polaire austral, sans compter les immatures plus nombreux encore.

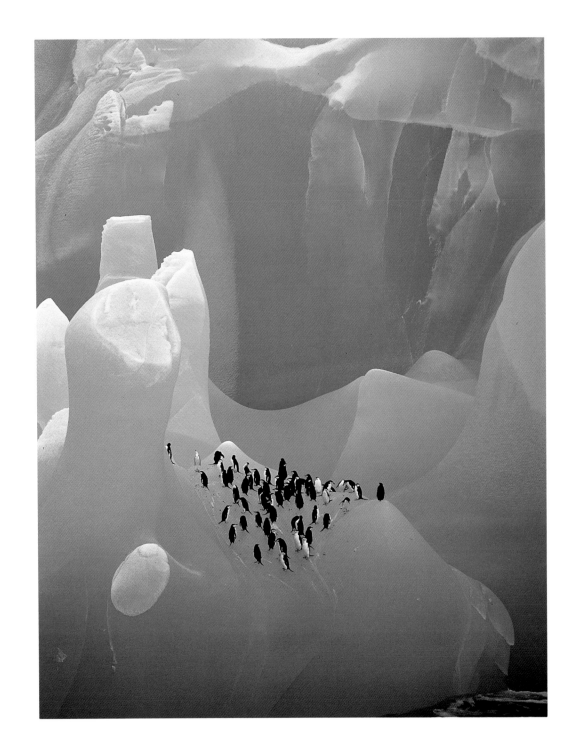

Comme beaucoup d'oiseaux marins vivant longtemps, les manchots se reproduisent tardivement. Les manchots papous, antipodes et pygmées le font, par exemple, dans leur deuxième année, les manchots royaux et empereurs dans leur troisième année, et les gorfous dorés et de Schlegel à partir de 5 ans. La plupart des individus attendent quelques années de plus ; certains manchots empereurs peuvent ne pas se reproduire avant l'âge de 9 ans, et un manchot antipode mâle s'est reproduit à 10 ans seulement.

Les jeunes oiseaux ont tendance à arriver dans la colonie plus tard que les reproducteurs établis, et ils sont donc immédiatement désavantagés dans leur quête de partenaire ou de site pour nicher. De plus, ils sont souvent plus légers et peuvent ne pas avoir assez de réserves de graisse pour mener leur parade à terme ; ils ont parfois besoin de plusieurs saisons pour perfectionner leur technique amoureuse, ou alors ils doivent changer de partenaire.

Les manchots plus vieux sont souvent plus fidèles à leur compagne, si les deux survivent à l'hiver. Chez certaines espèces, quand les années sont bonnes, 90 % des couples reviennent ensemble, souvent pour de nombreuses années (13 ans chez un couple de manchots antipodes). Les manchots d'Adélie, avec un été si court, ne peuvent se permettre de chercher trop longtemps, ainsi seulement 60 % demeurent ensemble d'une saison à l'autre. Chez les manchots royaux et manchots empereurs, le taux est moindre, de 15 à 30 %, probablement parce que leur stratégie de reproduction entraîne si peu de contacts entre eux qu'ils ne peuvent créer de liens durables.

Une étude de Lance Richdale sur les manchots antipodes a montré que des femelles de 2 ans ont tendance à pondre plus tard, à produire plus de couvées d'un seul œuf, et à pondre des œufs plus petits que la moyenne, dont seulement un tiers éclôt. Presque toutes les femelles matures pondent deux œufs, dont 92 % éclosent. Les très vieux oiseaux se reproduisant encore (13 ans ou plus) pondent les plus petits œufs, dont seulement 77 % éclosent.

Bien qu'un manchot empereur captif ait vécu 34 ans, peu de manchots sauvages peuvent espérer atteindre un aussi bel âge. Il a été dit qu'un manchot pygmée avait atteint 21 ans et que le plus vieux manchot antipode avait 23 ans.

Manchots à jugulaire rassemblés dans le décor surréaliste d'un iceberg bleu.

Protection

Le climat global peut avoir une influence considérable sur les populations de manchots. Pendant *El Niño*, en 1973, il n'y eut aucune reproduction de manchots des Galapagos. En 1982-1983, la population se réduisit de 77 %, pour arriver à seulement 400 individus. D'autres manifestations de ce phénomène en 1983-1984, 1987 et 1991-1992 ont ralentit le redressement de la population, et un recensement révéla seulement 844 individus en 1995, donnant au manchot de Galapagos la triste distinction d'être le manchot le plus rare du monde.

Des travaux récents indiquent que le gorfou de Fjordland doit maintenant compter moins de 1 000 couples. Les colonies de ce petit manchot autour des côtes sud-ouest de la Nouvelle-Zélande sont souvent inaccessibles et cachées dans des broussailles épaisses, rendant un recensement précis difficile. La raison de son fort déclin au cours du XX⁰ siècle est inconnue, bien que les chiens, les rats et les wekas se nourrissent de leurs œufs et de leurs poussins.

Le manchot antipode n'est guère plus abondant, avec quelque 1 500 couples, la moitié sur les îles Auckland, d'autres sur les îles Campbell et Stewart, et seulement 300 sur l'île principale de la Nouvelle-Zélande. Alors que les ressources alimentaires peuvent influer sur les populations australes, sur l'île principale les dangers viennent surtout de l'homme. La population a diminué d'au moins 75 % au cours des quarante dernières années. Initialement, la cause était la perturbation des sites de reproduction par les hommes, ainsi que la déforestation pour l'agriculture. Le bétail piétine les nids et les manchots adultes sont pris dans les filets de pêche au large ; mais plus récemment, c'est l'introduction de prédateurs tels que furets, hermines, chats et chiens qui a été la principale cause de déclin. Entre 1988 et 1990, la population de l'île principale a diminué de 45 %. À certains endroits, 90 % des poussins ont été tués par des hermines.

Des réserves naturelles ont été créées pour les manchots antipodes, mais ce n'est pas suffisant. Il faut également un habitat propice à la reproduction ; c'est pourquoi des volontaires locaux ont planté des milliers d'arbres et d'arbustes pour procurer des abris

Privé de la chaleur du repli ventral de ses parents, ce poussin de manchot empereur est mort.
S'il avait été un peu plus âgé, il aurait pu bénéficier de sa propre couche de graisse et se réchauffer.

pour les nids. Des clôtures sont également nécessaires pour confiner les troupeaux, afin que la végétation repousse. Bien qu'il soit impossible d'éradiquer complètement les prédateurs, un programme de piégeage réduirait suffisamment leur nombre pour améliorer la survie des poussins, et par là même accroître le succès de reproduction.

Les changements de température de l'océan, qui affectent les stocks de poissons, peuvent être la raison pour laquelle la population de gorfous sauteurs a diminué si fortement. On a dit que leur nombre avait baissé de 90 % sur l'île Campbell, au sud de la Nouvelle-Zélande. J'ai pu voir une fois une colonie florissante à Smoothwater Bay, qui ne compte plus aujourd'hui qu'une poignée d'oiseaux. J'ai visité une autre colonie sur l'île Sea Lion, dans l'archipel des Malouines, qui est passée de 150 000 couples en 1932 à seulement 1 000 couples 50 ans plus tard. Le problème est de toute évidence universel et ne semble pas lié à un facteur humain. Il est vraisemblable que le manchot de Magellan est devenu plus rare dans les Malouines à cause de la surpêche ; d'un autre côté, au même endroit, les manchots papous – un

Les marques et la huppe typiques d'un gorfou sauteur.

tiers de la population mondiale – se sont à peu près maintenus. En outre, les manchots royaux ont récemment recolonisé d'anciens sites de l'archipel des Malouines et sont maintenant quelques centaines de sujets.

Les manchots royaux furent exterminés dans les Malouines au début du XXᵉ siècle.

Les manchots antipodes, peu nombreux, furent le sujet d'une étude à long terme
du professeur Lance Richdale sur l'île principale de Nouvelle-Zélande.
Son ouvrage est devenu un classique de la recherche en écologie.

Les manchots d'Adélie et les manchots empereurs sont les seules espèces de manchots
vivant sur le continent antarctique. Mais même là, ils ne peuvent totalement échapper
aux effets des activités humaines.

On a prétendu que les tout derniers avaient été réduits à l'état d'huile par un berger qui voulait imperméabiliser le toit de sa maison. Ces oiseaux ont sous la peau une couche de graisse d'au moins 2 cm d'épaisseur, qui, fondue dans des chaudrons, était utilisée par les marins pour compléter les barils d'huile d'éléphant de mer. Cette industrie atteignit son apogée vers 1860 dans les Malouines, quand 750 000 manchots, principalement des manchots royaux et des gorfous sauteurs, étaient tués chaque année. Je vois encore les corrals entourés de murets de pierre sur l'île West Point, où les gorfous sauteurs étaient entassés avant d'être massacrés.

Une autre huilerie s'installa sur l'île Macquarie en 1891. Au départ, elle s'intéressa aux manchots royaux, puis son attention se tourna vers les plus petits et plus nombreux gorfous de Schlegel ; et elle en détruisit 150 000 chaque année. Vers 1919, l'île fut déclarée sanctuaire de la faune, et les manchots retrouvèrent leurs effectifs. Aujourd'hui, des centaines de milliers de manchots royaux occupent les plages de Lusitania Bay, piétinant les vestiges rouillés des vieilles chaudières qui ont provoqué tant de carnage il n'y a pas si longtemps.

Les habitants de Tristan da Cunha peuvent être pardonnés pour leur utilisation d'huile de manchot avant que la paraffine ne devienne plus facilement accessible ; ils complétaient également leurs maigres revenus en vendant des colifichets provenant du scalp des gorfous sauteurs. Les habitants des Malouines récoltaient également les œufs de manchot pour la table. Les œufs de manchot papou, avec leur « jaune » rouge vif, étaient les plus appréciés, alors que les manchots du Cap procuraient une récolte semblable en Afrique du Sud. Entre 1900 et 1930, plus de 13 millions d'œufs y furent collectés, et leur ramassage ne devint illégal qu'en 1969. Ces colonies étaient également exploitées pour le guano, qui était utilisé comme fertilisant, mais ce sont les îles du Pérou et de l'Équateur qui procurèrent les ressources les plus abondantes. *Guano* est le nom inca désignant la fiente d'oiseau déshydratée ; à certains endroits, après des centaines d'années et du fait d'une faible pluviosité, les déjections provenant de millions d'oiseaux de mer ayant exploité les riches bancs d'anchois du courant froid péruvien se sont accumulées en une couche de près de 60 m de hauteur. Les manchots de Humboldt contribuèrent à cette industrie d'exportation qui représentait, autrefois, trois cinquièmes du produit national brut. Les activités agricoles détruisirent de nombreuses colonies de manchots de Humboldt, mais ce fut l'effondrement de l'industrie de la pêche locale qui fit de cette espèce le quatrième manchot le plus rare du monde. Paradoxalement, ce dernier est l'un de ceux qui sont le plus couramment tenus en captivité, et il est peut-être l'objet de la première rencontre que les gens font avec un manchot.

Deux autres facteurs, résultant de cet âge technologique moderne, affectent les populations de manchots. Le premier est la pollution pétrolière. Les manchots de Magellan et du Cap nichent autour des deux plus célèbres couloirs maritimes du monde, où se sont produites d'inévitables catastrophes pétrolières. Après la fermeture du canal de Suez en 1967, quelque 650 pétroliers ont dû être orientés chaque mois vers les eaux périlleuses du cap de Bonne-Espérance. Durant la seule année 1968, onze accidents de pétrolier eurent lieu ; dans le plus grave d'entre eux, 15 000 tonnes de pétrole brut furent déversées, ce qui conduisit à la mort de milliers de manchots. Ces catastrophes sont toujours d'actualité avec les conséquences dramatiques qu'elles ont sur les populations de manchots, mais, au fil des ans, le concours de nombreux volontaires participant au démazoutage des oiseaux rescapés a considérablement amélioré le taux de survie des oiseaux soignés.

Le second facteur est l'écotourisme. Montrer des manchots en liberté est devenu une activité populaire et rentable. Le nombre de visiteurs dans l'Antarctique est passé de moins de 300 par an dans les années 1950 à plus de 6 000 aujourd'hui. À partir des récits des premiers explorateurs de ces régions, on pourrait croire que les manchots sont très tolérants vis-à-vis de la présence de l'homme. Certaines espèces le sont sûrement, et à Volunteer Point, dans les Malouines, un petit manchot est venu à moi pour tirer sur mes lacets ou jouer avec la courroie du sac de mon appareil photo. Les manchots papous sont cependant plus sensibles, et il est préférable d'observer les colonies depuis leur périphérie. Les manchots antipodes et les gorfous de Fjordland sont encore plus farouches ; ces derniers, par exemple, sont peu enclins à débarquer sur une plage s'il y a des gens à moins de 70 m.

Certaines réserves de manchots antipodes sur l'île principale de Nouvelle-Zélande permettent aux visiteurs de voir les nids en passant le long de sentiers cachés par des buissons ou des clôtures. Mais l'exemple le plus élaboré de gestion des visiteurs est la

Environ 150 couples de manchots royaux se reproduisent de nouveau dans les îles Malouines.
Ils furent traqués pour leur graisse jusqu'à la limite de l'extinction.

Les manchots empereurs ne peuvent survivre isolément. Pour couver durant les rigueurs
de l'hiver antarctique et pour protéger leurs poussins des tempêtes de neige estivales,
ils trouvent la sécurité, le salut et le succès dans leur nombre.

colonie de manchots pygmées de l'île Phillip, près de Melbourne, en Australie. L'endroit est maintenant protégé, et le contrôle des prédateurs et les restrictions de circulation automobile ont réduit les risques pour les milliers d'oiseaux qui viennent à terre regagner leur nid durant la nuit. Les oiseaux sont même accoutumés aux lumières des projecteurs qui améliorent la qualité du spectacle offert aux 350 000 touristes chaque année – plus que pour la visite d'Ayers Rock, en Australie.

L'immense colonie de manchots de Magellan de Punta Tombo, en Argentine, a gagné en popularité ; d'une poignée de visiteurs seulement il y a 30 ans, elle est passée aujourd'hui à plus de 50 000 par an, principalement dans les endroits où les oiseaux nichent en grande densité. Des recherches ont démontré que la pression exercée par les visiteurs réduisait le succès de l'éclosion d'environ 50 %, et que la seule présence des scientifiques pouvait le réduire d'un tiers ; la survie des poussins est également affectée par les dérangements liés à la présence humaine.

La recherche, néanmoins, est vitale si nous voulons comprendre le fonctionnement des populations de manchots, de même que le tourisme peut parfois s'avérer important pour l'économie des petites communautés humaines isolées qui les côtoient. Il est parfaitement compréhensible que des gens souhaitent voir de si affectueuses créatures de près ou étudier leurs mœurs fascinantes.

Manchots empereurs avec leur petit.

Mais les manchots ont assez à faire dans leur environnement naturel sans que les hommes et la technologie moderne n'augmentent leurs problèmes inutilement. Espérons que la situation s'améliorera à l'avenir avant que ne disparaisse l'une ou l'autre des espèces de manchots, comme le grand pingouin disparut de l'hémisphère opposé.

Fiches techniques

Genre : *Eudyptula* (1 espèce), en grande partie nocturne, niche en colonies lâches dans des terriers ; 2 œufs, élève 1 ou 2 poussins ; se nourrit de petits poissons et de calmars.

Manchot pygmée *E. minor* – 40-45 cm, 1 kg ; plusieurs sous-espèces totalisant plus d'un million de couples en Australie, en Nouvelle-Zélande, dans les îles Chatham et Antipodes. La plus petite espèce de manchot.

Genre : *Spheniscus* (4 espèces), niche dans des terriers, en colonie ; 2 œufs, élève 1 ou 2 poussins, mange surtout des poissons, quelques crustacés et des calmars.

Manchot du Cap *S. demersus* – 68 cm, 3,5 kg ; jusqu'à 170 000 couples le long de la côte d'Afrique du Sud.

Manchot de Magellan *S. magellanicus* – 70 cm, 4 kg ; 4-10 millions de couples le long des côtes du Chili, de l'Argentine et des Malouines.

Manchot de Humboldt *S. humboldti* – 72 cm, 4 kg ; 2 000 oiseaux le long des côtes du Pérou et de l'Équateur. Rare.

Manchot des Galapagos *S. mandiculus* – 53 cm, 2,5 kg ; 850 oiseaux sur les îles Galapagos. Rare.

Genre : *Megadyptes* (1 espèce), manchot le moins sociable, niche dans une végétation épaisse en surplomb ; 2 œufs, élève souvent 2 poussins ; mange surtout des poissons et quelques calmars.

Manchot antipode *M. antipodes* – 75 cm, 6 kg ; 1 500 couples en Nouvelle-Zélande australe, sur les îles Auckland et l'île Campbell. Rare.

Genre : *Eudyptes* (6 espèces), niche en colonie ; nids découverts ; 2 œufs, n'élève jamais 2 poussins ; mange principalement des crustacés, quelques poissons et calmars.

Gorfou de Fjordland *E. pachyrhynchus* – 55 cm, 3,5 kg ; 1 000 couples le long des côtes de Fjordland, en Nouvelle-Zélande. Rare.

Gorfou des Snares *E. robustus* – 60 cm, 3,4 kg ; environ 33 000 couples sur les îles Snares, en Nouvelle-Zélande.

Gorfou huppé *E. sclateri* – 67 cm, 5 kg ; plus de 200 000 couples sur les îles Bounty et les îles Antipodes, en Nouvelle-Zélande.

Gorfou de Schlegel *E. schlegeli* – 75 cm, 6 kg ; 850 000 couples sur l'île Macquarie, au sud de l'Australie.

Gorfou doré *E. chrysolophus* – 71 cm, 6 kg ; 12 millions de couples dans les îles subantarctiques de l'Atlantique Sud et de l'océan Indien ; quelques-uns dans les Malouines. Manchot le plus abondant.

Gorfou sauteur *E. chrysocome* – 58 cm, 3,5 kg ; 3,7 millions de couples, répartition circumpolaire sur les îles subantarctiques et subtempérées, dont les Malouines. En déclin.

Genre : *Pygoscelis* (3 espèces), niche en colonie, nids découverts ; 2 œufs, élève 1 ou 2 poussins ; mange surtout des crustacés, quelques poissons.

Manchot d'Adélie *P. adeliae* – 70 cm, 4 kg ; 2,5 millions de couples, répartition circumpolaire sur l'Antarctique et les îles environnantes.

Manchot à jugulaire *P. antarctica* – 75 cm, 4,5 kg ; 7,5 millions de couples sur la péninsule antarctique et les îles subantarctiques de l'Atlantique Sud, également quelques couples dans les îles Balleny.

Manchot papou *P. papua* – 75 cm, 5,5 kg ; 211 000 couples, distribution circumpolaire sur la péninsule antarctique et les îles subantarctiques, dont les Malouines et l'île Macquarie.

Genre : *Aptenodytes* (2 espèces), niche en colonie, pas de nid ; 1 œuf, élève 1 poussin ; mange principalement du poisson, quelques calmars.

Manchot royal *A. patagonicus* – 90 cm, 14 kg ; 1 million de couples, répartition circumpolaire sur les îles subantarctiques, dont les Malouines.

Manchot empereur *A. forsteri* – 130 cm, 38 kg ; 194 000 couples autour des côtes de l'Antarctique. La plus grande espèce de manchot.

Lectures recommandées
• Davis L.S. & Derby J.T., *Penguin Biology.* Academic Press, 1990.
• Foucard M., *Péninsule antarctique et Terres australes*, Grand Nord-Grand Large, 1996.
• Marion R., *Guide des manchots*, Delachaux & Niestlé, 1995.
• Rivolier J., *Des manchots et des hommes*, Arthaud, 1964.
• Sparks J. & Soper A., *Penguins*, David and Charles, 1987.
• Victor P.-É. & Victor J.-C., *Planète antarctique*, Laffont, 1992.

L'auteur
John Love est un zoologiste spécialisé dans les oiseaux de mer ; il a effectué des recherches sur presque toutes les espèces de manchots à l'état sauvage. Il a beaucoup voyagé pour les étudier, y compris dans les îles Malouines et les îles subantarctiques de Nouvelle-Zélande. De 1975 à 1985, il a dirigé la réintroduction du pygargue à queue blanche en Écosse pour le Nature Conservancy Council, et, depuis 1992, il est le responsable du Scottish Natural Heritage pour Uist, Barra et St Kilda. Il est l'auteur de six livres et de nombreux articles sur les oiseaux marins.